인사이드 핫플레이스

발 행 | 2023년 12월 20일
저 자 | 주재환, 정집견, 안서진, 노영호, 정은사, 오진호
펴낸이 | 한건희
펴낸곳 | 주식회사 부크크
출판사등록 | 2014.07.15(제2014-16호)
주 소 | 서울특별시 금천구 가산디지털1로 119 SK트윈타워 A동 305호
전 화 | 1670-8316
이메일 | info@bookk.co.kr

ISBN | 979-11-410-6118-0

www.bookk.co.kr

| 차 례 |

곰돌이는 어쩌다 전봇대에 묶이게 되었을까?

청량리에 위치한 삼신피자의 이야기

8

공간마케팅은 무엇일까?

디지털 세계인 지금 공간 마케팅은 왜 중요할까?

18

'콘셉트' 에 진심인 공간 마케팅

살라댕 템플과 치즈 인더스트리

36

의식하지 못했던 공간의 비밀을 파헤쳐 보자!

조도와 색감을 중심으로

48

키워드로 파헤쳐 보는 공간 심리

58

곰돌이는 어쩌다 전봇대에 묶이게 되었을까?

청량리에 위치한 『삼신피자』 이야기

청량리에 위치한 삼신피자의 이야기

이곳은 서울 동대문구에 위치한 삼신피자이다. 쨍한 노란색과 빨간색 그리고 형광등이 즐비한 전통시장 골목에 뜬금없이 아기자기한 피자집이 있다. 왠지 이질적이라 한 번쯤 눈길이 가는 매장이다. 이곳이 바로 내가 운영하는 가게이다. 전통시장의 핫플레이스를 만들겠다는 포부를 가지고 가게를 계약했고, 아기자기하고 깔끔한 분위기로 인테리어를 진행했다. 가게 앞쪽에는 인조 잔디를 깔고 마치 잔디밭에 나무를 연상시킬 수 있도록 매장 외부를 갈색으로 도색했다. 간판은 최대한 힙하게 작고 귀여운데 빛이 나는 것으로 선택해 영어로 멋지게 SAMSIN PIZZA라고 적었다.

매장 앞이 조금 더 밝았으면 좋겠기에 캠핑용 전구를 사서 감성 있게 달아주었고, 외부에서 볼 수 있도록 LED 메뉴판도 제작했다.

출처|삼신피자

가게의 갈색 톤에 맞게 귀여운 곰돌이도 구매해서 의자에 앉히고 안내 문구를 적어 목에 걸어주었다. 나의 계획대로 귀엽고 아기자기한 매장이 탄생했다. 지나가던 사람들이 곰돌이를 보고 옆에 앉아 사진을 찍길 바랐다. 그리고 매장에 들어와서 피자도 사 가길 바랐다. 하지만 결과는 어땠을까? 처음엔 신기하게 쳐다보고 사진을 찍더니 한 달도 채 되지 않아 곰돌이의 존재는 시장의 튀김과 족발 냄새에 잊혀갔다. 지나가는 사람들은 시장에 피자집이 있는지 인지하지 못했고 얌전히 앉아 있는 곰돌이는 구매는커녕 시선조차 끌지 못했다.

배달 기사님들도 가게를 못 보고 지나치기 일쑤였고, 핫 플레이스를 꿈꾸던 삼신피자는 그저 감성 있는 카페 정도로 자리 잡게 되었다. 그래서 피자보다 커피를 찾아 들어오는손님이 더 많은 지경이 되기까지 했다. 배달 앱에서의 반응은 좋았기 때문에 음식보다는 오프라인 매장 인테리어에 문제가 있음을 깨달았다. 심각성을 느낀 나는 과감하게 변화를 시도하기로 했다. 피자 사진을 찍어 메뉴판과 광고물을 새롭게 제작했고, 조리하는 모습이 부끄러워 붙여뒀던 반투명 시트도 과감하게 떼어버렸다. 고객과 나 사이를 가로 막던 파티션도 치웠다. 매장을 피자 사진으로 도배했고, 메뉴판을 큰 액자에 넣어 벽에 붙여두었다. 마지막으로 고고하게 앉아있던 곰돌이를 전봇대에 묶어버렸다.

출처|삼신피자

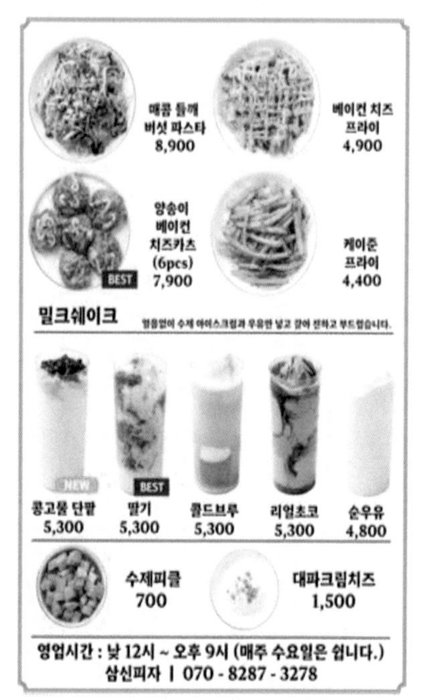

인테리어를 바꾸고 1주일,

매장 안에서 요리하면서 바깥이 보인다. 매장 앞을 지나가는 사람들과 눈이 마주치고 단골손님들과 눈인사를 할 수 있게 되었다. 기다리는 손님들은 이제 내가 조리하는 과정을 볼 수 있다. 나는 위생에 더욱 신경을 쓰게 되었고, 고객들은 조리과정을 직접 보게 되니 믿고 먹을 수 있게 되었다.

결과는 놀라웠다. 족발집 사장님이 찾아와 요즘 가장 많이 듣는 말이 '여기 피자집 생겼네?' 라고 하신다. 오픈한지 4개월 만에 드디어 전통시장에서 내 가게의 존재감이 생긴 것이다.

인테리어를 바꾸고 1달,

서서히 효과가 드러나기 시작했다. 단골손님들의 방문 주기가 짧아졌고, 자주 지나다니는데 있는지 몰랐다던 신규 고객들이 생기기 시작했다. 아이들은 '곰돌이다~ 곰돌이' 라면서 부모들의 발길을 멈춰 세운다. 배너 앞에 서서 메뉴 설명을 읽으면서 다음에 꼭 먹어보겠다면서 전단을 자발적으로 가져가는 손님이 생겼고, 바로 들어와 젤 잘나가는 걸로 해달라는 손님도 생겼다. 방문 포장 매출이 30% 가까이 올랐다. 인테리어 하나 바꾸었을 뿐인데 정말 놀라운 결과이다.

결과적으로,

아무리 좋은 상품이라도 고객이 인지하지 못하면 의미가 없다. 인지해야 관심을 가지고 관심을 가져야 구매로 이어질 수 있다. 좋은 상품은 기본이 된 현시대에서 상업 공간으로 살아남기 위해서는 소비자의 눈길을 끄는 자신만의 공간 마케팅이 필수가 되었다. 무슨 수를 쓰든 소비자가 내 매장에 관심을 갖게 만들어야 한다.

전봇대에 묶인 곰돌이의 존재감이 사라질 때쯤엔,
곰돌이 세 마리가 간판 옆에 나란히 붙어있을 것이다.

공간 마케팅은 무엇인가?

왜 디지털 세계인 지금 공간 마케팅은 중요할까?

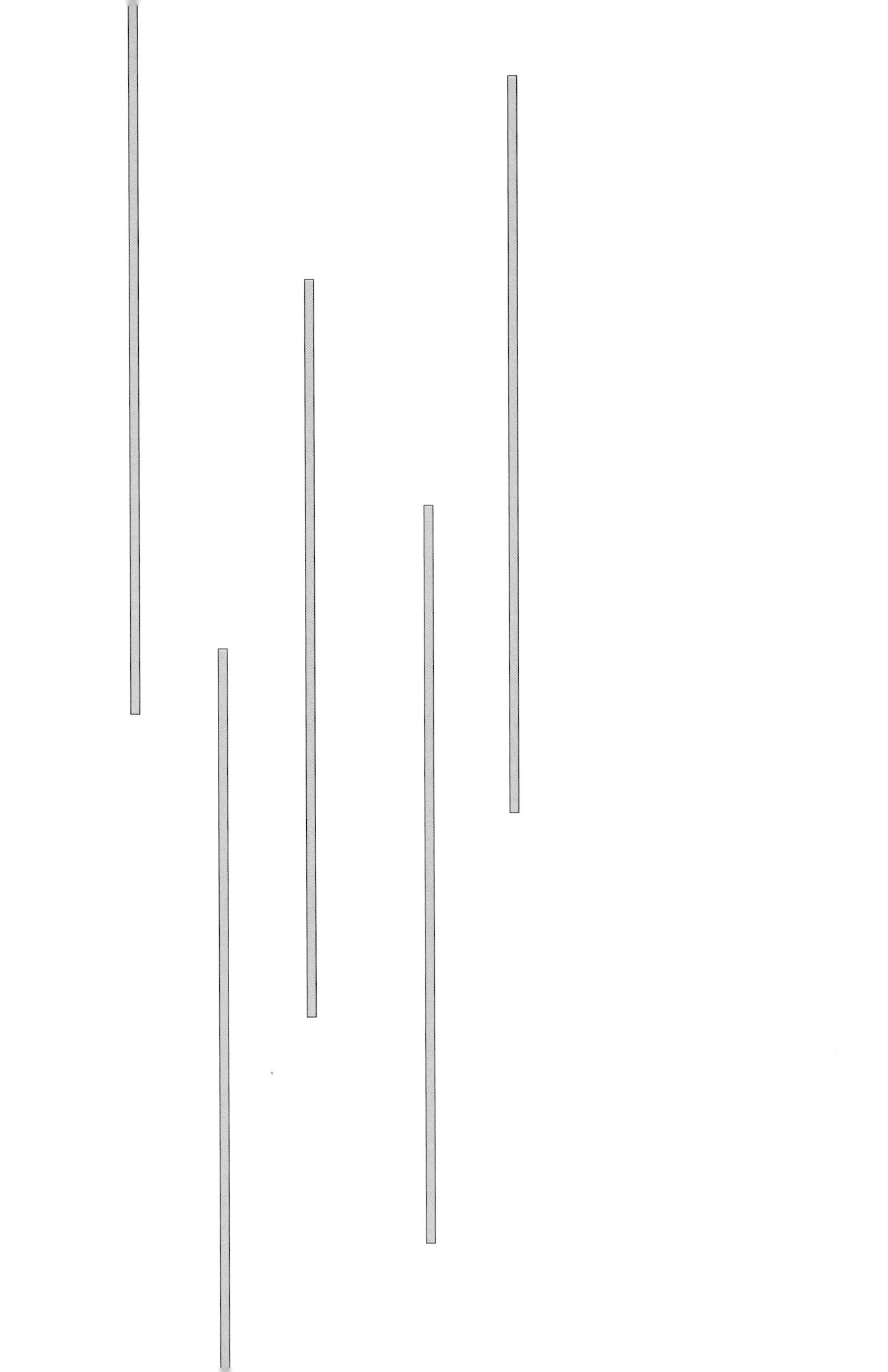

공간 마케팅은 무엇인가?
왜 디지털 세계인 지금 공간 마케팅은 중요할까

1년 전까지 있던 바이러스로 생긴 만남의 규제는 삶에 큰 영향을 끼쳤다. 사람들이 서로 만나고, 일하고, 쇼핑하는 방식 모든 것에 변화를 가져왔다. 갑작스럽게 찾아온 언택트 시대를 경험하며 많은 사람들이 공간의 중요성이 퇴색될 것으로 예상했다. 하지만 현실은 예상한 바와 다르게 흘러가고 있다. 온라인 시장의 경쟁이 과열되며 브랜드들은 판촉을 넘어 온라인으로 전해질 수 없는 브랜드의 가치를 전달하기 위해 오프라인 공간을 적극적으로 활용하기 시작했다.

디지털 세계에서 모든 것이 가능해진 오늘날, 물리적 공간의 중요성이 왜 여전히 강조되는 걸까? 그것은 의외로 간단하다. 오프라인 공간에서 제공

되는 체감적 경험이란 디지털 세계에서는 아직도 재현할 수 없는 가치를 지니고 있기 때문이다. 액정 화면을 통해 전달되는 영상과 그래픽의 시청각 경험, 사용자들의 편의를 위한 앱 내의 수많은 기능들은 고도로 발전했다. 하지만 이들은 공급자 중심의 일방향적 소통이라는 한계가 분명하다. 브랜드와 소비자가 직접 마주하지 못한 상황에서 의미있는 교감이 성립되기는 매우 어렵다.

온라인과 언택트가 일상화된 현재, 물리적인 상호작용과 체감적 경험이 있어야 소비자에게 새로운 자극과 흥미를 만들어 낼 수 있다. 이런 점에서 브랜드들은 디지털 마케팅 대신 직접 만나보고 체험할 수 있는 '공간'을 마케팅 전략에 활용하기 시작했다. 이미 매장은 온라인과 오프라인이 공존하는 '옴니 채널'로 자리하고 있다. 매장은 판촉을 위한 수단의 한정적인 의미를 벗어났다. 공간의 규모를 떠나 차별화된 '브랜딩'과 '경험'이 소비자에게 이미지와 메세지를 각인시키고 내재시킬 수 있다.

소비자들은 기술과 사회의 발전 속에서 수많은 마케팅에 노출되고 있다. 소비자들의 눈높이에 발맞추어 공간의 역할도 현재에 안주하지 않고 언제나 진화해야 한다는 걸 잊지 말아야 한다.

이러한 변화 속에서 공간 디자인은 브랜드의 아이덴티티와 메시지를 전달하는 중요한 도구로 부상하였다. 디자인된 공간은 제품을 전시하는 것을 넘어, 소비자에게 강력한 시각적 메시지와 감성적 경험을 제공함으로써 브랜드의 매력을 극대화한다. 최근에 이 수요에 부응하듯 수많은 공간 디자인 에이전시 회사들이 생겨나기 시작했다. 하지만 결국 중요한 것은 브랜드의 내면에서 나오는 가치를 맥락에 맞게 잘 활용해야 한다.

수많은 광고, 소비 경험에서 소비자들은 누구보다 예민하다. 위탁 업체에 맡겨 그럴듯하게 포장된 공간, 조형물들은 소비자의 의심을 사기 마련이기에 마음을 끌 수 없다. 타 브랜드에서 좋은 반응을 얻었다고 억지로 다른 브랜드에 입히는 것도 마찬가지이다. 소비자들은 새로운 경험을 갈망하고, 나에게 의미를 준 공간을 자신의 SNS 계정에 남겨 '자아' 라는 브랜드를 꾸밀 수 있기를 원한다.

언제나 변화는 새로운 기회를 가져온다. 그리하여 현재 우리는 '공간'이라는 새로운 마케팅 그라운드에서 다양한 가능성과 창조력이 펼쳐질 기회에 직면해 있다.

변화하는 주거 환경은 공간에 대한 가치를 재정의하였다. 2022년 기준으로 한국의 1인 가구 수는 전체 인구의 약 40%인 972만명에 달했다. 이러한 증가 추세는 계속되어, 2023년에는 그 수가 무려 천만을 넘어설 것으로 예상된다. 특히, 수도권 집중 현상이 지속되면서 이런 증가세는 가속화될 전망이다.

과거에 비해 대다수의 사람들이 원룸이나 다세대 주택에서 전월세 계약을 통해 거주하고 있다. 자신이 소유하며 살아가고 때때로 만들어 나갈 공간의 자유를 상실하게 된 것이다. 하지만 그들은 제한된 공간에서 생기는 한계를 스마트하게 극복한다. 스터디카페, 파티룸, 대여 오피스 등 다양한 외부 공간을 빌려 사용함으로써 필요한 기능과 활동을 보완한다. 안전하고 안락한 주거공간이 제공할 수 없는 요소들을 외부에서 찾아내며 새로운 경험과 가능성을 만나게 된다. 여기서 더 나아가 그들은 공간을 '소비' 하는 과정에 그치지 않고 자신이 방문한 장소를 남에게 드러내 '자아' 라는 각자의 브랜드를 멋지게 꾸민다. 내가 방문했던 장소 그 곳에서 경험했던 순간들을 사진과 글로 남기고 내가 어떤 사람인지 타인에게 말하고자 한다. 공간에 대한 방문 목적이 장소 내의 효용에서 끝났던 과거와는 크게 다른 양상을 띄고 있음을 우리는 쉽게 체감할 수 있다.

이러한 변화 속에서 성수동은 독특한 매력과 가능성으로 사람들의 시선을 사로잡았다. 몇 년 전만 해도 성수동은 오래된 공장, 노후화된 시설물들로 인해 슬럼화된 지역이었다. 하지만 높은 지대로 물러난 사업체들이 모이며 트렌디한 가게들이 생기고 성수동만의 독특한 분위기를 조성하며 주목받기 시작했다. 지금은 서울에서 제일 젊고 멋있는 동네로 꼽히며 의류부터 식료품, 화장품까지 다양한 장르의 팝업스토어가 매주 열리며 찾아오는 사람들에게 항상 새로운 영감과 디자인을 선보인다.

과거의 성수동

현재의 성수동

오뚜기는 왜 마스코트를 지웠나?

식료품 회사인 오뚜기는 과거부터 마케팅에 힘썼다. 소자본으로 운영되던 창업 초기 시절부터 TV 광고를 적극적으로 내보이며, 소비자들에게 자신들의 제품을 알리고자 노력했다. 눈에 쉽게 띄는 빨간색과 노란색을 로고와 제품에 적극적으로 활용하여 진열대에서 한 번이라도 눈길이 가게 했으며, 귀감이 될 만한 '사회공헌활동'과 'ESG 경영'을 통해 착한 오뚜기라는 이미지를 견고히 했다. 오뚜기의 마케팅은 언제나 한 발 앞서 갔고 소비자들로부터 좋은 호응을 얻었다.

기업 이상의 이미지를 지닌 브랜드는 하나의 생명처럼 성장하고, 소통하며 시장의 소비자와 교감하고 싶어한다. 브랜드의 속성이라 할 수 있는 컨셉을 시장에 명확하기 전달하기 위해서는 남들을 따라가기만 해서는 뒤떨어진다. 공간은 소비자의 오감을 자극하는 3차원 마케팅으로 자신들의 브랜드 메시지를 온전히 전달할 수 있다. 오뚜기도 자신들의 트렌디함을 대중에 선보이고 싶었고 그 방법으로 '공간' 을 선택했다.

오뚜기는 서울시 강남구 논현동에 '롤리폴리 꼬또 rolypoly cotto' 라는 브랜드샵을 오픈했다. 오뚜기의 제품을 구매하고, 카페와 음식점, 문화공간으로 사용되는 곳이다. 뜻 밖에도 오뚜기는 자신들의 로고, 마스코트를 전면에 내세우지 않았다. 심지어 상징되는 빨강과 노란 원색은 아예 없으며 톤다운한 브릭색으로 건물을 디자인했다. 한국 사람이라면 모를 수 없는 윙크하는 빨간 소년의 이미지를 오뚜기는 왜 가져오지 않았을까? 이 매장의 컨셉은 단순히 오뚜기의 신제품을 홍보하거나 판촉하기 위한 장소가 아니기 때문이다.

오뚜기를 설명하지 않아도 그들이 가진 헤리티지와 방향성을 알려주기 위해서는 이미 알려진 기업의 이미지는 배제되어야 한다. 오뚜기는 장수기업인 만큼 젊은 세대들에게 올드한 이미지가 있다. 기업의 역사, 가치보다는 맛있는 케첩, 라면 만드는 회사 정도로 다들 생각한다. 현재 소비자들은 단순히 역사가 오래되고 제품이 좋다고 선택하지 않는다. 그 제품의 회사가 무얼 중점 가치로 두는지, 소비자의 '공감 리터러시'를 이끌 만큼 트렌디한 지 브랜딩의 모든 것을 본다. 그래서 오뚜기는 자신들의 네이밍과 로고를 배제한 채 이 건물을 디자인했다.

무뚝뚝한 외부 모습과 달리 내부는 방문객의 오감을 채워줄 수 있는 디테일로 가득하다. 전체적으로 브라운톤을 띄지만 곳곳에 노란색 가구나 조형물을 둬 은연 중에 브랜드를 연상시킨다. 음식 냄새 곳곳에 은은한 인센스향을 피워 우리에게 편안한 공간의 향수를 불러 일으킨다. 역사만 오래된 기업이 아닌, 어느 기업보다 트렌디하며 소비자들에게 즐거움을 줄 수 있는 역량을 가졌음을 이 브릭 외벽을 가진 무채색의 공간을 통해 보여주고자 하는 것이다.

REST & SAVOUR
cotto
roly poly
Curry Ramen Coffee
rolypoly_cotto
OPEN 11:30-21:00
출처|오뚜기 인스타그램

소유하지 않은 공간임에도 불구하고 사람들은 자신의 호기심과 자아 실현의 욕구를 충족시키기 위해 이곳을 찾아온다. 그리하여 '소비하는' 공간에서 새로운 가치와 만족감을 발견한다.

결국 우리 시대의 생활 양식과 문화 트렌드는 공간에 대한 새로운 이해를 요구한다. 더 이상 공간은 단순히 '소유' 하는 것에서 벗어나, '경험' 하고 '공유' 하는 곳으로 재탄생하고 있다. 이러한 변화 속에서 우리는 자신만의 공간을 어떻게 창조하고 활용할 것인지, 그리고 그 과정에서 어떤 가치와 경험을 만들어낼 것인지에 대해 깊이 생각해 볼 필요가 있다. 이 책에서는 각광받는 공간 마케팅에 있어 대중들에게 선택받을 공간들에는 어떤 특징이 있는지, 어떻게 가꾸어나가야 하는지에 대한 논의를 담고자 한다. 방문한 장소에 대해 '그냥 좋은 느낌이었던 곳이었어' 라고 뭉뚱그리기보다는 하나의 작은 요소라도 포착해보고 분석해보는 경험을 돕고자 한다.

공간 마케팅에 대한 정의는 개개인의 인식에 따

라 달라지고 모호하게 느낄 수 있다. 한국 디자인학회는 공간 디자인마케팅을 기업이 제공하는 공간을 직접적인 대상으로 소비자 욕구를 충족시키거나, 공간을 매개로 한 소비자의 공간체험을 통해 기업이미지 및 브랜드이미지 제고에 도달하는 총체적인 마케팅 활동이라고 정의한다. 쉽게 말하자면 한정된 오프라인 공간에서 소비자들을 사로잡기 위해 모든 걸 담을 수 있는 무대라고 할 수 있겠다. 여기에는 우리의 이목을 끄는 인테리어부터 조명, 건축물의 외관 같은 조형적 요소부터 음향, 향기, 전시물에서 느낄 수 있는 촉감 같은 오감의 요소들도 포함된다.

경영 잡지인 DBR(동아 비즈니스 리뷰 매거진)에서는 Space as media(공간을 활용하며), experimental(경험적인), 3d dimensional seosory marketing(3차원의 감각 마케팅)의 세 키워드로 나눠 설명했으며 두 개의 핵심 키워드를 꼽자면 '체험'과 '감성'이다. 이 모든 것들이 종합적으로 조화를 이뤄 소비자들에게 자사의 브랜드, 제품들을 홍보하고 각인시키고자 한다. 고객이 공간에 들어서는 순간, 공감 포인트를 찾아 고객이 느끼는 감정, 느끼고 싶은 감정을 실현해줄 수 있어야 한다.

이를 제일 잘 활용한 곳은 애플 스토어를 꼽을 수 있다. 애플스토어는 밖에서 바라봤을 때부터 소비자의 자연스러운 방문을 유도한다. 스티븐 잡스의 디자인 철학인 '단순함이란 궁극의 정교함'을 그대로 실천하듯, 전면 유리창을 통해 제품과 진열대의 구성이 한 눈에 들어오게 배치돼 있다. 이는 고객의 심리적 부담을 덜어준다.

심지어 애플 스토어 가로수길점과 샌프란시스코 유니언스퀘어점은 바깥의 테라스 공간에 커다란 나무가 있는데 가게 내부에도 같은 나무를 화분에

심어 공간이 벽으로 나눠지지 않고 자연스럽게 이어진다. 이런 요소들이 모여 소비자들은 무의식적으로 애플의 세계에 들어왔다가 홀리듯 제품을 구매하게 되는 것이다.

공간의 종류는 다양하다. 자는 곳일 수도, 물건을 판매하는 곳일 수도, 음식과 서비스를 경험하는 곳이기도 하다. 하지만 좋은 공간의 개념은 명확하다. '오고 싶게', '머무르고 싶게' 만드는 것이다. 방문자에게 공간을 온전히 느낄 수 있게 만들어 인식에 각인시키며 다시 찾게 만드는 곳은 단연 좋은 공간이라 할 수 있다. 공간의 본질은 사용자에게 전하고 싶은 메시지를 명확하게 설명할 수 있는지에서 찾을 수 있다. 방문한 소비자들을 생각하고 그들에게 공간의 구성 요소들로 메시지를 이해시키고 설득할 수 있어야 한다. 이를 위해서는 소비자의 입장에서 공간을 객관화 하는 과정이 먼저 필요하다.

이를 위해서 공간의 목적과 대상 소비자를 명확하게 정의해야 한다. 내 브랜드의 강점은 무엇인지 어떤 경험을 제공하고 싶은지를 명확히 설정하고 이를 누구에게 전달할 것인지를 고민해야 한다. 예를 들어 브랜드의 헤리티지가 강점인 경우 그들의 역사를 전면에 내세워 과거의 향수를 고취시킬 수 있어야 한다.

1905년 미네소타에서 광부, 건설 노동자들의 작업화를 제작하기 위해 설립되어 지금까지 패션 부츠로 유명한 레드윙은 매장에서 이를 적극 활용하고 있다. 가로수길점 매장의 경우 오픈부터 세월이 흔적을 표현될 수 있게 부분적으로 변색된 바닥 타일을 깔았으며, 제품 선반도 반듯한 나무 가구가 아닌 빈티지풍의 디자인을 채택했다. 매장 곳곳에 낡은 제봉틀, 에이징된 부츠를 놓아 세월 속에서도 변하지 않는 가치라는 메시지를 소비자들에게 확실하게 전달하고 있다.

출처|레드윙

출처|한섬eql

이와 반대로 유행 트렌드를 선도하는 브랜드라면 이전에는 볼 수 없었던 조형물, 인테리어 요소로 이목을 끌 수 있어야 한다. 편집샵인 한섬 eql의 매장 내부에 컨베이어 벨트로 상품을 이동시켜 소비자들의 호기심을 끌고 색다른 경험을 선사한다. 외부에는 독특한 일러스트를 입체적으로 표현해 지나가는 사람들의 이목을 사로잡고, 공간에 대한 호기심을 불러 일으킨다.

‘콘셉트’에 진심인 공간 마케팅

살라댕 템플과 치즈 인더스트리

앞선 내용들로 공간 마케팅에 대해 어느 정도 기본을 알게 되었을 것이다. 하지만 공간은 직접 느끼고 알아봐야 하는 것으로 이론적인 것만으로는 한계가 있다. 물론 직접 장소를 경험하고 체험하는 것이 가장 좋지만 우리 독자들에게 더 편리하고 쉬운 경험을 주기 위해 이 책이 있다!

공간을 꾸미는 것에는 다양한 요소들이 있지만 사람들이 가장 직관적으로 느낄 수 있는 것 중 하나는 '콘셉트' 이다. 이자카야는 일본풍의 인테리어를 중식당은 중국 문화를 녹여낸 공간을 가진다는 의미이다.

왜 그래야할까?

매장의 콘셉트가 음식과 맞는 분위기를 제공하기 때문이다. 매장의 콘셉트만으로도 사람들에게 어떠한 나라에 온듯한 분위기를 제공하고 연인이나 가족과 오고 싶어지는 느낌을 줄 수 있다.

공간마케팅으로 화제가 된 장소 두 곳을 찾아왔다. 요즘 떠오르는 핫플레이스, 들어가는 순간 콘셉트에 잡아먹힌듯한 인테리어에 감탄을 금치 못하는 장소. 글로우 서울에서 인테리어를 한 <살라댕 템플>과 <치즈 인더스트리>를 같이 한 번 살펴보자!

'서울에서 찾은 태국, 살라댕 템플'

우선 살라댕 템플에 대해 소개하겠다. 살라댕 템플은 글로우 서울이 만든 서울 성동구에 위치한 신비한 신전속에서 맛보는 태국 요리 전문점이다. 살라댕 템플의 현재 리뷰 수는 813개이다 (출처 1 네이버 살라댕템플). 살라댕은 태국의 수도인 방콕 중심에 위치한 동네로 살라댕 템플은 방콕 콘셉트의 매장이다.

방콕에 있는 살라댕 템플은 절으로 태국의 유명 관광지 중 하나이다.

이곳은 도심 속 휴양지에 온 듯한 느낌을 줄 수 있는 신전 콘셉트로 공간을 재구성했다. 입구와 살라댕 템플 사이에는 인공 강이 있어서 배를 타고 입장해야 한다. 서울 한복판에서 배를 탈 수 있도록 공간을 조성하여 많은 소비자들에게 색다른 매력을 주었다. 휴양지의 느낌을 살리기 위하여 곳곳에 야자수 나무를 설치하고 초록초록한 분위기를 나타낸 것을 볼 수 있다. 그뿐만 아니라 중간중간 인공 폭포를 설치하여 시원한 기분을 느낄 수 있게 해준다. 좁은 강이기에 배를 타는 시간은 5분 내지만 소비자들에게는 독특한 경험으로 자리 잡게 되었다.

살라댕 템플을 배를 타고 들어가게 되면 동남아 스타일의 신전이 눈앞에 펼쳐진다. 야외부터 수풀과 나무 의자, 테이블로 분위기를 나타내고 실내로 들어가면 화려한 내부 수영장과 거대한 불상 동상이 보인다. 가운데에 위치한 물줄기와 돌 벽으로 일반적인 실내와는 다른 느낌을 준다. 부처상이 머리만 있어서 약간 두려움을 유발하기도 하지만 수영장 가운데 부처상이 있어 더욱 신비로운 느낌을

글로우서울
살라댕 템플

가중한다. 식물들도 곳곳에 조화롭게 배치하여서 자연의 느낌이 매우 살아난다. 이러한 사소한 디테일들 덕분에 살라댕 템플을 찾는 방문자들에게 '한국' 이 아닌 '방콕' 에 온 듯한 기분이 들게 해 준다. 살라댕 템플의 메뉴는 동남아 스타일의 음식과 공간의 콘셉트가 메뉴의 매력을 증폭시킨다. 집에서도 푸팟퐁 커리를 먹을 수 있지만 살라댕 템플과 같은 콘셉트가 있는 공간에서 먹는다면 음식의 맛뿐만 아니라 비주얼까지 즐길 수 있다.

공간은 자신이 팔기 위한 상품의 매력을 증폭시켜주기도 하지만 소비자들에게 더욱 빠르고 직접적으로 다가갈 수 있는 마케팅 방법이 된다.

글로우서울
살라댕 템플

살라댕 템플을 제작한 글로우 서울의 유정수 대표님께서 인터뷰하신 내용이 살라댕 템플에 잘 녹아들어 있다. “선택과 집중을 통해 사람들이 자신의 가게에 올 수 있는 뭔가를 만드는 것이 중요하다” 살라댕 템플은 평범한 음식점의 모습을 버리고 자신만의 콘셉트를 선택하여 메뉴와 공간 모두 콘셉트에 충실하게 공산을 구성하였다. 살라댕 템플만의 특별한 인테리어는 소비자들의 눈길을 사로잡기에 충분했고 공간만으로도 마케팅 효과를 톡톡히 보았다.

글로우서울
치즈인더스트리

두 번째 공간, 글로우 서울의 치즈 인더스트리이다. 서울 익선동과 성수에 위치한 치즈 그로서리 마켓 카페로 방송 전지적 참견 시점 254회에 출연한 적 있다. 성수점과 익선동점의 리뷰를 다 합하면 1000개 넘을 정도로 인기가 많다. 이곳은 "매일매일 매장에서 직접 만든 신선한 치즈를 판매한다"를 원칙으로 치즈를 제작하는 공정을 보여주는 곳이다. 글로우서울 인스타그램에 따르면 치즈

인더스트리는 치즈의 주원료인 우유를 활용하여 인테리어를 하려던 차 조선 시대에 우유에 관한 일을 맡았던 관청, 즉 우유소가 있었다는 것을 알게 되었고 치즈 공업사를 만들게 되었다. 이후 치즈를 대중분들에게 기존보다 편한 디저트로 선보이면 어떨까?라는 시작으로 기획하였다고 한다.(출처 2. 글로우서울 인스타그램)

치즈 인더스트리도 살라댕 템플만큼이나 콘셉트에 충실한 카페이다. 입구부터 풀을 뜯고 있는 듯한 젖소들이 우리를 반긴다. 글로우 서울의 장점 중 하나인 키네틱을 활용하여 움직이는 로봇소를 개발하였다. 원래 글로우서울은 실제 소를 매장에서 키우려고 하였으니 현실적으로 어렵다고 판단하여 움직이는 로봇소를 개발하였다고 한다. 로봇소 모형과 치즈 제조 기계 장치를 도입하여서 실제 축사에 온 느낌을 직/간접적으로 느낄 수 있는 공간으로 제작하였다고 한다. 또한 건물들이 목재로 이루어져 있어서 실제 농장과 같은 분위기를 자아낸다. 안으로 더 들어가게 되면 로봇 소들이 여물을 먹고 있는 공간이 나오는데 정말 실감 나게 표현되어 있어서 물멍 대신 소멍을 때릴 수 있다.

실내에는 치즈를 만들고 있는 공간과 치즈들이 나열되어 있는 진열장을 구경할 수 있다. 치즈를 직접 만드는 것을 보여주는 공간을 구비함으로써 소비자들에게 신뢰와 가격에 대한 타당성을 얻을 수 있는 전략이라고 생각했다. 다양한 수제치즈를 판매하고 치즈로 만든 베이커리들을 판매한다. 공간을 소의 목장이자 치즈 공업소로 콘셉트를 잡아서 이곳에서 치즈를 먹는다면 치즈를 더욱 잘 느낄 수 있을 것 같다.

치즈를 주로 하는 카페나 음식점들은 한국에 꽤 많다. 주로 노란색으로 벽지를 꾸미거나 대왕 치즈를 앞에 모형으로 세워두는 등 보편적이지만 기본에 충실한 공간 마케팅을 한다. 나 또한 치즈 케이크집을 한다면 간판은 노랗게 하고 치즈 케이크를 먹고 있는 캐릭터를 만들어서 가게를 꾸몄을 거 같다. 하지만 치즈 인더스트리는 독특하게도 치즈가 아닌 치즈의 주원료인 우유를 생각하였고 더 나아가서 우유를 만드는 소를 이용하여 공간을 인테리어 하였다.

소의 그림이나 캐릭터가 아닌 로봇 소를 이용하여 더욱 역동적이고 실제적인 공간을 경험할 수 있

글로우서울
치즈인더스트리

게 만들었다. 공간의 희소성이 소비자들에게 챠밍 포인트로 다가왔고 따로 마케팅을 하지 않아도 공간만으로 마케팅이 되었다. 공간 마케팅 중 콘셉트를 활용한 공간 마케팅 사례 두 가지를 알아보았다. 공간을 구성할 때 가장 편한 건 확고한 콘셉트를 잡는 것이라고 생각한다. 콘셉트가 잡히면 사용해야 할 소품과 조명, 세세한 인테리어들이 잡히기 때문이다. 만약 공간을 어떻게 구성해야 할지 고민 중이라면 우선 '콘셉트'부터 잡는 것은 어떨까?

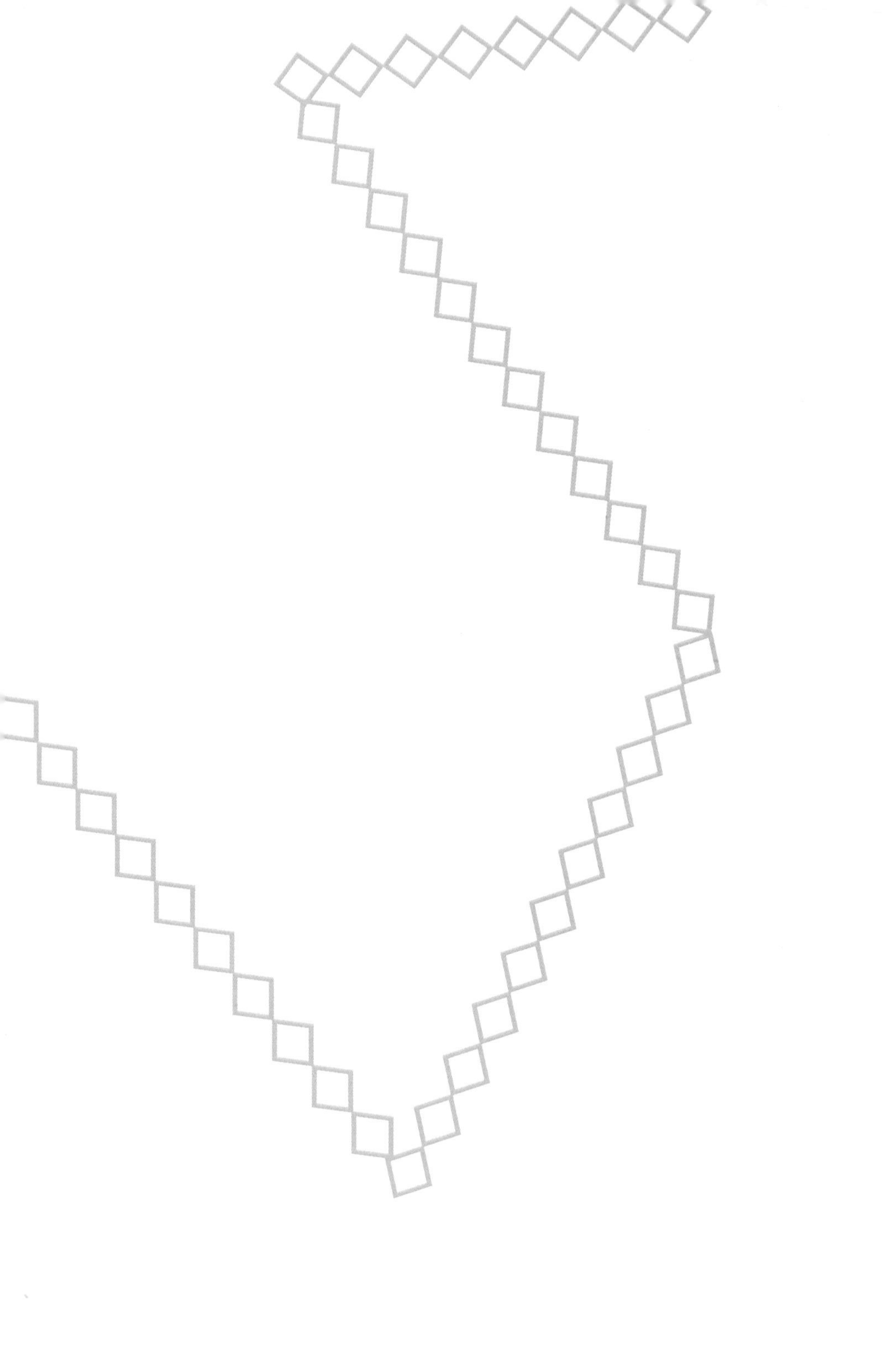

의식하지 못했던 공간의 비밀을 파헤쳐 보자!

조도와 색감을 중심으로

Space works의 구성

조도와 색감을 중심으로

이번 목차는 이론적인 내용을 사례를 중심으로 쉽게 풀어써보려한다. 읽고나면 공간이 내 감정을 어떻게 다루는 지 에 대해 알 수 있을 것이다!

“유사한 도면과 마감재를 가지고 인테리어를 했더라도 조명을 비추는 방법에 따라 공간에 대한 사람들의 인상은 전혀 달라질 수 있다. 따라서 매장을 운영하는 경영자들은 이러한 빛의 역할에 대해 이해하고 잘 활용해야 한다. 빛은 우리의 심리에 많은 영향을 끼친다. 공간에 적합한 조명은 흔히 말하는 좋은 공간 즉, 오래 머물고 싶은 공간을 디자인하는 데 주요한 요소이다. [음식과 사람 2022.09. P.42-45 Interior] 진익준의 ‘성공을 부르는 음식점 인테리어’

진영준 디자이너는 음식점의 조명을 계획할 때 가장 기본적이면서 중요하게 생각하는 부분이 위계질서라고 말한다. 위계질서란 말이 꽤나 어렵게 느껴지지만 우리가 늘상 방문하는 장소들을 떠올리며 글을 읽어내려간다면 쉽게 이해할 수 있을 것이다.

공간의 '목적'에 따라 달라지는 조명

분명 비슷한 음식을 파는 데도 어떤 장소는 왁자지껄한 회식 장소로 적합하고, 어떤 장소는 적은 인원이 모여 조곤조곤 대화를 나누기 편한 곳이 있다. 글을 읽으며 각자 마음 속에 떠오른 공간들이 있을 것이다. 그 장소들에는 각각 어떤 공통점들이 있을까?

많은 이유가 있겠지만 이 파트에서는 조도에 대

해서 애기해보고 싶다. 공간 속에서 주변 사람이나 물체가 어떻게 보이는가를 공간의 투명도라고 한다.

공간의 투명도가 높다는 건 주변 사물이나 사람들이 선명하게 보이는 걸 의미한다. 주변 사람들이 선명하게 보인다면 서로 관계를 맺고 사교하기에 적합한 공간이 될 수 있다. 회사에서 신입 사원 환영회를 할 때 조명이 밝고 단체 테이블이 많은 고깃집이 갔을 때를 떠올리면 이해가 편할 것이다.

반대로 투명도가 낮은 장소는 어떨까? 주변 사물이나 사람들이 선명하게 내게 포착되지 않기 때문에 조금 더 사적인 애기를 적은 인원들이 나눌 때 편한 장소가 될 것이다. 허나, 너무 어둡기한 장소는 무색무취하다. 조도를 낮게 설정한다면 대비와 음영을 강조해 사람들이 장소에 가지는 흥미를 키울 수 있어야한다.

조도의 높낮이, 색이 적합한 지에 대한 정답은 없다. 결국 중요한 건 공간의 통일감이다. 공간의 목적과 의도에 맞지 않은 조명을 배치해 소비자들에게 혼란을 주어서는 안 된다.

조금 더 나아가볼까? 조도는 수평면 조도와 수직면 조도가 있다. 일반적으로 조도라 하면 수평면 조도를 가리킨다. 수평면 조도는 바닥이나 테이블에 비추는 천장에 있는 조명을 기준으로 아래로 향하는 빛이라고 생각하면 된다. 수평면을 비추는 빛으로만 계획된 공간은 머무를 때 사용자의 집중도를 높이며 긴장감을 높인다. 도서관과 독서실 스탠드를 떠올리면 이해하기 쉬울 것이다.

반면, 수직면을 비추는 빛은 부드럽고 편안하게 느껴지는 빛이다. 휴식을 위한 공간이라면 공간의 긴장도를 낮추면서 공간 이용자들의 마음을 편안하게 만드는 것이 우선이다. 레스토랑이나 카페 같은 걸 떠올려 보자. 위에서 내리쬐는 빛으로만 공간을 디자인하면 고객들은 금방 피로감을 느끼고 재방문을 꺼릴 것이다.

한 가지 빛의 방향으로 공간을 구성할 필요는 없다. 둘의 장단점을 적절히 활용해야만 매력적인 공간이 탄생할 수 있다.

색 채

색은 가장 먼저 사람의 시선을 끌어 당기며 개인적 경험, 사회와의 교류 통념에 근거한 상징과 비유가 어우러진 감성적 이미지가 느껴진다. 이런 색의 특성은 공간에서 어떻게 활용될까?

우선 색채와 공간인식에 대한 개념을 짚고 가자. 같은 거리에서 보았을 때 빨강, 노랑, 주황 같은 난색은 녹색, 파랑의 한색보다 가깝게 보인다. 이를 난색은 진출성이 있고 한색은 후퇴성이 있다고 한다. 고명도, 고채도는 진출, 팽창하는 느낌을 주고 저명도 저채도의 색은 후퇴, 수축하는 느낌을 준다. 회색의 배경색을 두고 비교하면 이를 보다 직관적으로 이해할 수 있다.

이런 색채의 특징은 매장에 방문했을 때 얼마나 큰 차이를 불러 일으킬까? 과거의 맥도날드 매장을 떠올려보자. 로날드가 서 있던 2010년대 초반 맥도날드는 빠르게 먹고 빠르게 나가는 전형적인 패스트푸드 사업 모델을 채택했었다. 그래서 속도감이 느껴지는 진출색, 강렬한 빨강색을 중심으로 매장이 디자인되었다. 이런 장소는 같은 시간을 있어도 비교적 오래 머물렀다는 느낌을 준다.

공간에서 색은 어떤 감정을 만들어 내는가?

그러나 맥도날드는 맥카페 사업을 본격적으로 시행하며 고객들의 체류시간을 늘리고자 노력했다. 번쩍번쩍한 빨간색 의자, 요란한 카운터는 아예 빼버리고 편안한 저채도의 브라운 컬러와 아이보리 컬러로 매장을 재조합했다. 최근 맥도날드에서 노트북으로 서류 작업을 하거나 책을 읽는 사람도 보일 정도로 이 전략은 어느정도 효과가 있었다고 볼 수 있다.

허나, 꼭 진출색과 후퇴색을 나눈 이분법적 시각으로 공간 디자인에 접근할 필요는 없다. 명도, 채도를 조합하고 마감재의 특성, 조명 등 다양한 요소들을 함께 활용해 수많은 조합의 공간을 탄생시킬 수 있다.

글로우서울이 디자인한 홍콩밀크컴퍼니는 홍콩 네온사인에서 뿜어져 나오는 화려함과 거리의 모습을 표현하고자 했다고 한다. 홍콩의 모습을 표방하지만 이를 드러내는 소품들은 최소한으로 배치되어있다. 허나 스테인드글라스에서 뿜어져 나오는 난색과 나무 마감이 섞인 차가운 회색벽이 조화를 이룬다. 이는 마치 마천루와 번화가에서 느껴지는 대도시 홍콩의 화려함과 홍콩 소시민들이 살아가는 홍콩 거리를 동시에 표현한 것처럼 느껴진다.

글로우서울
레인리포트

그다음 예시 또한 글로우서울의 작품인 '레인리포트'이다. "비 오는 날 커피가 더 맛있지 않을까?" 하는 궁금증으로 시작된 기상학과 콘셉트라고 한다. 따라서 전체적으로 가게 분위기가 다크하다. 저명도 · 고채도의 한(寒) 색을 선택하여 딱딱한 느낌을 주고 철 소재의 재질인 것에 더해 견고해 보인다. 이는 공간의 튼튼함에서 주는 안정감을 느끼게 해준다. 글로우서울은 이 공간을 이렇게 소개하였다.

내 안방에서 창밖으로 내리는 폭우는 재앙이 아닌 다른 의미의 무드로서 그리고 차분함을 동반한

여유로서 다르게 다가온다.

비 오기 전의 바닥은 실버 그레이의 색깔을 띠면서 딱딱하면서도 냉한 느낌을 준다. 비가 온 다음에는 빗물에 젖은 바닥의 색깔은 다크 그레이로 변하며 거친 촉감이 든다. 이는 비가 내릴 때 물이 흥건한 바닥에 튕겨서 날아오르는 거친 빗물의 형상들과 무척 잘 어울린다.

글로우서울
레인리포트

Space works의 구성

살라댕 템플 일반적인 음식점과 달리 매장 내부가 숨겨져 있다. 매장 입구에서 배를 타고 작은 물가를 건너가야 비로소 매장 내부에 들어갈 수 있다.

환경 심리학에서는 이것을 '미스터리 관점' 이라고 부르는데 자연 경관이 비밀에 싸여 있을수록, 그리고 꿰뚫어보기 어렵거나 숨은 풍경이 많을수록 더욱 매혹적으로 느껴지는 현상을 말한다. 위와 같은 효과와 더불어 글로우 서울은 숲과 나무를 이용하는 인테리어를 필수적으로 한다.

스웨덴 웁살라 대학의 환경심리학 연구팀은 식물을 바라보는 행위가 긴장을 풀어주는 효과를 준다고 발표한 바 있다. 연구팀은 몇 백 명의 대학생들을 실내에 앉혀놓고 꽤 까다로운 과제를 내주었는데, 그 중 한 그룹은 창밖의 나무들을 볼 수 있게 했다.

이 그룹은 고도의 집중력을 요하는 문제를 푼 직후 혈압이 균일하고 신속하게 정상으로 돌아온 반면, 대조군은 그런 현상을 보이지 않았다. 미국의 사회생물학자 에드워드 윌슨(Edward O. Wilson)에 따르면, 바이오필리아(biophilia) 즉 생명을 사랑하는 마음은 인간 본연의 성질로, 모든 인간은 생명이 살아 숨 쉬는 자연에 본능적으로 이끌리게 되어 있다고 한다.

'인간은 왜 자연적인 요소에 이끌릴까?'

따라서 몸과 마음을 최적의 상태로 유지하기 위해서, 또는 잃어버린 건강을 되찾기 위해서는 자연과의 접촉이 필수적이라고 한다. 이와 관련해 진화생물학자 베냐민 랑에는 식물이 띠는 초록색에 대한 인간의 본능적 애정이 오늘날까지도 이어져 꽃을 선물하거나 푸르른 정원을 좋아하는 습성 등으로 나타나고 있다고 덧붙였다.

물

살라댕 템플에서 물이라는 요소가 여러 군데 배치 되어있다. 입구에서 배를 타고 올때 물을 마주치게되고 ,배를 타지 않고 걸어 들어 갈 수 있는 길은 건물 위에서 물이 떨어지게 만들어 우산을 쓰고 지나 다녀야 한다. 매장 내부로 들어오게 되면 동남아의 휴양지에 온 것과 같은 인테리어와 함께 가운데 부처 동상과 물을 중심으로 사람들이 둘러 앉아 식사를 하는 구조로 짜여져 있다.

글로우서울
살라댕앰버시

왜 이렇게 물 이라는 속성을 자주 사용했을까?

또 왜 우리는 물을 활용한 장소를 좋아하는 것일까?

예로부터 물이 있는 곳은 진화심리학적 용어로 '근원적 유산(遺産)' 으로서 인간의 깊은 욕구를 채워주었다. 일반적 시각에서 아름답다고 여겨지는 풍경은 강이나 시냇물, 호수,연못 같은 요소를 갖추고 있다.

모형 기차 만들기를 좋아하는 사람들이 기찻길 주변의 마을을 꾸밀 때 거의 빼놓지 않고 집어넣는 것이 바로 산속에 파묻힌 조그마한 호수나 연못이다. 더불어 인간은 처음부터 양수 속에서 헤엄치던 태아였고, 태아는 그 상태를 최고의 안락한 상태로 여긴다. 물에 몸을 담그고 편안히 휴식하는 상상을 해보라. 평화로움이 연상되지 않는가?

글라스

글로우 서울의 인테리어 특징 세번째는 유리창이다. 건물 내 외부를 시간적으로 뚫어 놓는 공간감을 확보하기 위해서 투명한 유리를 정말 자주 사용한다.

안체 플라데의 말을 빌려보면 창밖 풍경은 사물을 인식하는 범위를 넓혀준다고 한다.만일 커다란 사무실의 창가 자리가 아니라 중간 자리에서 여러 사람들에 둘러싸인 채 근무하는 사람이라면 고개를 돌려 창밖 풍경을 바라봄으로써 옥죄이는 듯 답답한 기분을 한층 덜어낼 수 있다. 창가 자리에 익숙한 사람이라면 돌연 생각의 흐름이 막혔을 때, 특별히 창의적인 아이디어가 필요할 때 잠시 창 너머로 시선을 보내면 어떤 효과가 나타나는지 잘 알 것이다.

살라댕 템플은 중앙에 높은 층고와 물을 활용한 조경들로 하여금 공간감을 형성했기 때문에 중앙에 위치하는 사람들이 공간감을 가지고 창가에 앉은 사람들은 투명한 유리창으로 바깥 풍경을 바라볼 수 있게 만들어 개방감을 구축하였다.

경험

글로우 서울의 마지막 특징은 방문자에게 주는 색다른 '경험'이다. 위 세 가지 장소에서 특별한 음식을 판매하지는 않는다. 살라댕템플에서는 음식과 함께 더불어 도심 속에서 여행을 온 듯한 경험, 치즈공업사에서는 치즈와 함께 목가농장에 와서 치즈를 먹는 듯한 경험과 치즈 제조과정을 이해할 수 있는 경험 , 호우주의보에서는 365일 비가 오게 만들어 비와 커피를 즐기는 경험을 판매한다.

코넬 대학교 심리학과 토머스 길로비치(Thomas Gilovich) 교수의 실험을 보자. 참가자들은 두 가지 다른 상황에 놓인 자신을 상상해야 한다. 첫 번째 실험은 경험재를 구매한 후 기다리는 동안느끼는 감정을 설명하는 것이다. 참가자에게 레스토랑이나 본인이 좋아하는 가수의 콘서트에 입장하기 위해 기다리는 상황을 상상해보라고 한 후, 기다림과 관련된 자신의 감정 상태를 표현하게 했다.

두 번째 실험은 스마트폰 등 물질재를 구매한 후 기다릴 때 느껴지는 감정을 설명하는 것이었다. 결과는 놀라웠다. 참여자들은 경험재를 기다리는 상황에서는 '기대된다', '흥분된다'와 같은 긍정적인 감정을 적극적으로 표현했다. 반면 물질재는 '(기다리느라) 짜증난다', '조바심이 난다' 등 부정적인 감정이 대부분이었다. 이 결과에 따라 연구진은 경험재가 물질재에 비해 소비 과정의 시작부터 더 큰 행복감을 준다는 결론에 도달했다. 이는 최근의 소비 패턴 변화에도 잘 나타난다. 2015년 미국 상무부는 소비자들이 물건을 구매하는 것보다 경험에 돈을 쓰는 비중이 더 커지고 있다고 발표했다. 사람들은 자동차나 휴대폰을 사기보다 유명 요리사의 레스토랑에 가거나 좋아하는 가수의 콘서트, 인기 있는 뮤지컬 티켓을 구매하는 데 더 많은 돈을 썼다.

특히 이러한 현상은 30대까지의 젊은 층에서 더 뚜렷했다. 2014년 미국 이벤트브라이트(Eventbrite)사가 20대 전후 연령층을 대상으로 한 조사에서도 응답자의 72%가 물질재보다는 경험재에 더 많은 돈을 쓸 계획이라고 했다. 물질재 소비는 타인과 공유할 수 없지만 경험재 소비는 공유가 가능하다는 점 또한 경험재만이 줄 수 있는 행복이다. 물질재는 함께 돈을 낸다고 해서 다 공유할 수 있는 게 아니지만, 친구와 함께한 4주간의 유럽 여행은 영원히 공유할 수 있다. 경험재는 소비 과정에서 타인과 이어져 있다는 느낌으로 인간의 소속 욕구를 채워주기 때문에, 물질재보다 소비자를 더 행복하게 만든다.

' 중요한 건, 새로운 경험! '

글로우 서울의 작업물들은 체험하게 하려는 노력을 보인다. 오프라인 공간은 스스로 독립적인 목적을 갖고 움직일 수 있는 여유가 생겼고, 디지털은 공간에 새로운 숨결을 불어넣고 있다. 이제 소비자는 제품만을 보기 위한 공간에 매력을 느끼지 못한다. 공간은 고객에게 흥미로운 경험을 주는 장소여야 하고, 그 경험 속에 브랜드의 DNA가 자연스럽게 녹아 있어야 한다. 그리고 해당 경험이 소비자의 마음에만 머무는 것이 아니라, 휴대폰과 SNS 플랫폼으로 옮겨갈 수 있도록 자극하는 공간 전략이 필요하다.

| 후 기 |

한국, 그중에서도 서울은 전세계에서도 가장 트렌디한 나라이다. 그만큼 우리나라 사람들은 다양한 경험을 맞이하는 데 관심이 많다. 맛집, 팝업스토어, 전시회 등 가리지 않고 찾아 방문한다. 이렇게 많은 경험을 쌓으면서 '그래서 거기가 왜 좋았어?' 라고 누군가 묻는다면 나를 포함한 대다수가 '그냥 좋았어', '분위기가 다르더라' 와 같은 추상적인 대화로 넘어가는 경우가 많다.

전문가가 아니더라도 자신의 생각을 풍부하게 말하고 취향을 가지는 건 멋진 일이고 해야하는 일이다. 해박한 지식으로 서술된 책은 아니지만 대학생들의 생각, 경험을 읽어보며 각자만의 공간의 이야기를 만들어보는 경험이 되었으면 한다!

주재환 독어독문학과

인테리어 디자인에 대한 이전 지식이 없었던 저에게 이 책의 집필은 새로운 도전이었다. '글로우 서울' 의 공간 디자인을 분석하며, 인테리어가 단순한 장식을 넘어서 인간의 감성과 깊이 연결되어 있음을 발견할 수 있었다. 이번 출판을 통해 처음으로 제 생각과 경험을 독자들과 공유하게 되어 기쁘다. 이 책이 여러분에게도 인테리어의 숨겨진 아름다움과 그 속에 담긴 의미를 찾는 여정에 도움이 되기를 바라며, 이 분야에 대한 새로운 관점을 제공하는 데 기여하길 희망한다.

노영호 **원자력공학과**

고등학교 때 처음으로 떠오르는 감정과 생각들을 마구 쏟아낸 글을 쓴 적이 있다. 글을 쓰다 보니 마음이 편안해지고 상황이 객관적으로 보이는 경험을 하게 되었다. 그때 이후로 마음이 힘들거나 생각이 복잡해지면 일단 노트를 꺼내 적는 습관이 생겼다. 글이 나의 내면과 진정으로 대화하는 수단이 된 것이다.

'공간마케팅' 은 내가 잘 알고 있거나 경험했던 주제가 아니라 알고 싶은 주제에 가까웠다. 잘 알지 못하는 분야에 관해 쓰려다 보니 전문성과 막연함에 부딪히게 되었다. 그래서 많은 자료를 찾아보고 전문가의 책도 읽어보면서 나름대로 이 분야에 대한 기초 지식을 쌓았다.

그러다 공간마케팅의 선두주자인 '글로우 서울'이라는 업체를 발견하게 되었다. '글로우 서울'의 작업들을 케이스스터디하면 독자들에게 좋은 인사이트를 줄 수 있을 것 같았다. 처음에는 '글로우 서울'이 운영하는 매장들에 전화를 돌렸지만 수차례 거절당했다. 포기하지 않고 '글로우 서울' 마케팅 팀에 연락이 닿아 가까스로 허락을 받게 되었다.

글을 쓰고 케이스스터디를 하는 과정에 공간을 보는 눈이 조금은 생겼고 막연했던 공간마케팅에 대한 지식을 쌓을 수 있었다. 마치 누군가에게 가르치면서 공부하는 느낌 같았다. 이제 나에게 글은 나와 대화하는 수단이자 세상을 알아가는 수단이 되었다. 여러분도 궁금한 주제가 있다면 책으로 써보는 것을 적극 추천한다.

정집견 식품영양학과

이번 한양대학교 창업 기초 : 문화 예술 산업의 이해 수업을 통하게 책을 제작해 보게 되었다. 책은 읽기만 했었지 제가 제작하리라고는 생각지 못했다. 이 수업을 통해서 책을 만들면서 힘들기도 했고 제가 공간 마케팅에 대한 얕은 지식으로 책을 작성한다는 것에 대한 의구심도 많이 들었다.

공간마케팅을 해본 적도 접해본 적도 없기에 더 열심히 자료들을 찾아보던 도중 글로우 서울이라는 회사를 알게 되었다. 공간을 디자인하여 마케팅하는 방식을 사용하는 회사가 저희 주제와 잘 맞는다는 생각이 들었다. 운이 좋게도 회사와 연결이 되어 글을 더욱 풍부하고 생동감 있게 만들 수 있어 뿌듯하다.

콘셉트에 진심인 공간 마케팅 부분을 집필하며, 콘셉트라는 개념자체가 모호한 부분이 많아서 집필에서 작은 고난을 겪었었다. 허나 살라댕 템플과 치즈 인더스트리 덕분에 콘셉트와 관련하여 자세하게 작성할 수 있었다. 그뿐만 아니라 독자분들께서 더 잘 읽으실 수 있도록 글을, 문장을 어떻게 작성할지 꾸준히 고민했다. 여타 다른 팀플들과는 다른 이번 활동으로 한 단계 더 성장할 수 있게 되어 뿌듯하다.

나중에 창업을 하게 된다면 이번 책을 만들었던 경험이 좋은 거름이 될 것이라 믿는다. 많은 도움을 주신 교수님들과 팀원분들께 정말 감사하다는 말씀 전하고 싶다.

안서진 **관광학부**

이 챕터를 완성하는 과정에서 여러 학자, 사업자분들의 자료를 많이 참고하게 되었다. 깊이 있게 알아 갈수록 "색상은 감정을 전달하는 강력한 언어"라는 생각이 들었다. 이러한 시선을 가지게 된 후로는 어떤 식당이나 카페를 가면 그 공간의 인테리어나 조명의 모양과 색감, 색온도에 대해 인식을 하게 되었다. 이를 통해 이 공간을 구성한 식당, 카페의 사장님의 생각을 엿볼 수 있는 나만의 스킬을 기를 수 있게 되었다. 독자분들도 이 챕터를 통해 이 '언어'에 입문해 보는 기회를 가져보았으면 한다.

정은사 **미디어커뮤니케이션학과**

공간이라는 것은 마치 얼굴과 같다. 어떻게 얼굴을 꾸미느냐에 따라서 나를 표현할 수 있는 방법은 굉장히 많다. 오프라인으로 매장을 운영한다면, 기업뿐만 아니라 개인 창업자들도 늘 브랜드의 얼굴을 소비자들에게 효과적으로 보여줘야 할 것이다. 그리고, 공간을 꾸며나가는 방법 또한 굉장히 많다. 기본적으로 시각적인 요소들을 활용하는것 부터, 시각 외적인 감각들을 더해 공감각적인 방법으로 공간을 채워나가는것 까지, 여러 모습으로 꾸며진 공간들이 소비자들을 향해 인사를 건네고 있다.

공간을 마케팅하는 여러 방법과 기업들의 노하우를 조사하고 여러분들에게 소개하는 과정 속에서 시장의 전쟁과도 같은 치열함을 느꼈다. 소비자들의 이목을 집중시키기 위한 방법들이 너무나도 다양했고, 평범한 방법으로는 더 이상 시장 경쟁속에서 살아남기 어려울 것이므로 더더욱 브랜드를 나타내는 공간에 대해서 고민을 많이 해야할 것이다.

함께 프로젝트를 진행했던 팀원들과 많은 피드백과 지도로 도움을 주신 교수님께 감사 드리며, 창업을 꿈꾸는 한 청년으로서 출판이라는 창업의 작은 과정을 겪으면서 많은 공부와 경험을 쌓을 수 있었고 의미있는 시간이 되었다.

오진호 작곡과